「非物質文化遺產」繪本系列

數一數・知多少

食盆的故事

表弟出世了。

「數字控」阿郁隨爸媽到鄧氏祠堂食盆菜。
舅舅今早在祠堂「點燈」，告知神明和祖先添「丁」，
燈為「丁」字的諧音，「點燈」有「添丁」的意味！
表弟是鄧氏的新丁，鄧氏家族多了一名男性的成員。
在祠堂食盆菜是「慶燈」，舅舅一家請族人飲「丁酒」，
一同慶祝添丁。

一坐下，
「數字控」忍不住不停數數和計算：

「有多少圍？每圍多少人？
　一盆盆菜究竟有多少食材？」

原來祠堂可以放置 20 張桌子。

每張八仙桌可以坐 8 個人，
合共有 160 人！160 人一同食盆菜！

每盆盆菜有五花腩、雞、魷魚、墨魚、
豬皮、冬菇、芹菜、木耳⋯⋯

超過 20 種材料和調味料！

阿郁剛運算出結果，
肚子餓了，準備吃東西。

誰知又聽到爸爸向
二妹阿呆講解甚麼是「農曆」。

「農曆」是古時候計算日子的方法，

農曆

主要是方便農民進行一年的耕種工作。
「農曆」的「二十四節氣」，就是農夫工作的時間表。

爸爸講解「二十四節氣」：

春季

農夫下種子！有 6 個節氣：
立春、雨水、驚蟄、春分、
清明、穀雨。

夏季

農作物快高長大！有 6 個
節氣：立夏、小滿、芒種、
夏至、小暑、大暑。

秋季

準備收成了！有6個節氣：
立秋、處暑、白露、秋分、
寒露、霜降。

冬季

田間的工作結束，準備過新年！
有6個節氣：立冬、小雪、大雪、
冬至、小寒、大寒。

$$365 \div 24 = 15$$

$$15 \times 24 = 360$$

阿郁不停計算，一年 365 日，
除 24，即每個節氣約 15 日。
1 日有 24 小時，15×24，
那麼每個節氣有 360 小時！

阿郁聽到爸爸説：
「節氣大多數與自然現象有關，與下雨有關的節氣有『雨水』、『穀雨』；和下雪有關的，就有『小雪』、『大雪』。」

阿郁立即計算，「大雪」是第 21 個節氣，即是每年的第 315 天便會下大雪。

但香港位於中國華南沿岸，這裏不會下雪！

「數字控」阿郁的腦袋不停運算，
發覺缺乏了一些數字，難以計算下去。

原來阿郁想計算：一個農夫，春季會播多少種子，
秋季的收成又有多少？計算，原來需要很多資料！
農田有多大？有多少名農夫？
每棵農作物需要多少空間成長？
收集資料，原來是計算前的準備功夫啊！

阿郁滿腦子都是春天農作物生長、
秋天農作物收成的景象。

春季是萬物生長的時間、
秋季是農作物收成的時間,
都是很重要的日子啊!

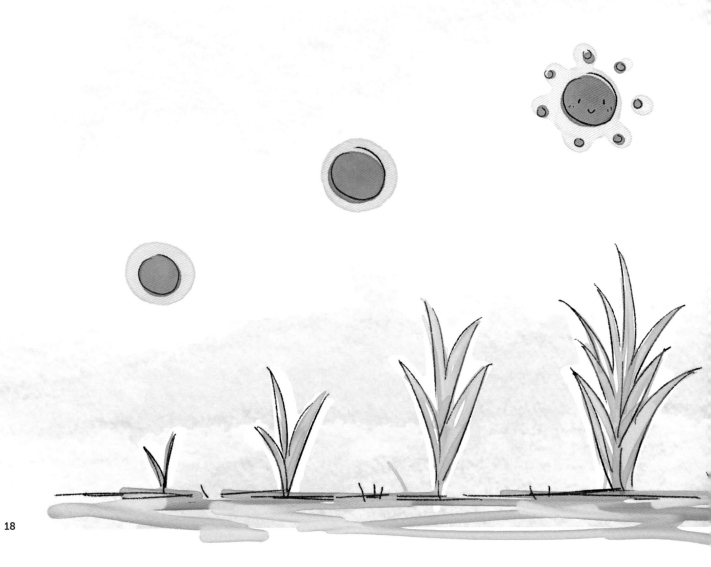

春季農夫們努力勞動、有足夠的陽光和雨水、
耕作順利，到了秋季才會有好收成！

怪不得中國傳統有春祭和秋祭！
春季時祈求風調雨順，秋季時酬謝五穀豐收。

阿郁知道族人也會在春季和秋季，
舉行祭祀祖先的儀式 ——
即是宗族的春祭和秋祭。

宗族的春秋二祭，以拜祭先祖為主，
就是多謝他們曾努力工作，養活我們。

與此同時，也請祖先庇佑我們，
讓我們工作順利、生活安好。

阿郁一向對數字有濃厚的興趣，
想知道春、秋二祭的日子，於是便問爸爸。

爸爸解釋：「春祭多數在農曆二月、四月或春分在祠堂舉行；
秋祭多數在九月、秋分或重陽節在祠堂或祖先墓地舉行。
但每次拜祭的確實日子，會由村中的父老們商討決定！」

阿郁記起去年到祖先墓地進行秋祭，當時族長是主祭人，
祭禮的儀式包括：奏樂、向祖先下跪、叩首、上香、酌酒、
獻財寶和宣讀祝文等，然後族人便逐位上香拜祭。

另一邊，有些叔叔伯伯嬸嬸會在旁即時煮食，
拜祭完成後，便即時享用食物。
爸爸說：「這就是『食山頭』！
『打盆』就是用盆子盛載食物給眾人享用！」

一想到秋祭時的食物，
「數字控」阿郁又忍不了數數和計算！
有多少款食物材料？
打盆需要用多少個盆子呢？夠多少人食呢？

阿郁終於計算完畢！
一看，桌上的盆子已空空如也，
甚麼食物也沒有了！

阿呆知道大哥阿郁一向坐不定，
但是一開始計算，就會「靜止」不動！

阿呆聽到大哥肚子發出「咕咕」聲，
便將早前留起的盛滿食物的大碗遞給大哥。

原來阿呆熟知哥哥的習慣，
阿郁每次計算也是高度集中精神，
不會知道身邊發生甚麼事情。

剛才見大哥好像被武林高手點了穴般「靜止」不動，
就知道他正在運算，但不知道他會計算多久，
所以便預留了食物給他。

「數字控」阿郁，
有了阿呆這個善解人意的妹妹，
才不會餓壞！

香港非物質文化遺產清單

根據《保護非物質文化遺產公約》的規定，香港特別行政區政府於 2014 年公布了包括 480 個項目的第一份香港非物質文化遺產（非遺）清單，作為保護香港非遺項目的基礎。

香港非物質文化遺產代表作名錄

香港特別行政區政府於 2017 年公布了一個總共有 20 個項目的「香港非物質文化遺產代表作名錄」，為政府就保護香港非遺項目時，在分配資源和採取保護措施訂立緩急先後次序提供參考依據。

非遺項目的詳細資料
可參考香港非物質文化遺產資料庫

食盆

宗族春秋二祭

「非物質文化遺產」繪本系列

數一數‧知多少
食盆的故事

籌劃 ： 非物質文化遺產辦事處
合作伙伴 ： 伍自禎
作者 ： 亞麗莎（岑金倩）
編輯 ： 阿豆
插畫 ： 譚卓文
美術設計 ： Circle Design

出版 ：
藍藍的天有限公司
香港九龍觀塘鯉魚門道 2 號新城工商中心 212 室
電話 ： (852) 2234 6424
傳真 ： (852) 2234 5410
電郵 ： info@bbluesky.com

代理及發行 ：
草田
網址 ： www.ggrassy.com
電郵 ： info@ggrassy.com
Facebook 專頁 ： https://www.facebook.com/ggrassy

出版日期 ： 2022 年 1 月

國際統一書號 ISBN ： 978-988-74911-8-7
定價 ： 港幣 80 元